L'EXPÉRIENCE

CHRISTOPHE BATAILLE

L'EXPÉRIENCE

BERNARD GRASSET

PARIS

Photo de la bande : © AFP

ISBN 978-2-246-81164-0

Pour Maguelone

Ce jour d'avril 1961, on s'est assis au fond de la tranchée : c'était dans le désert, au nord de Tamanrasset. Un nulle part enclos de barbelés. La terre était presque blanche d'abord, puis grise avec de longs traits carmin. Je me vois encore fixer ce paysage à un mètre de moi. Et le ciel comme une plaque bouillante et triste.

La tranchée était courte. Trois mètres de profondeur, je pense. Elle se perdait assez vite dans le sable, ne conduisant à aucun réseau, à aucun abri souterrain.

Mes hommes sont descendus par l'unique échelle. Le boyau était dans l'ombre, à cette heure du matin. J'ai découvert des étais tous les deux mètres : une masse de bois verticale tenait la plaine, qui pesait sur une autre masse mal dégrossie. Ce n'était pas une tranchée mais une fosse qui risquait de s'effondrer sur nous.

Le capitaine a posé sa main sur ma poitrine.

— T'as peur ?

Ses yeux étaient bleu clair. Sans idée. On l'appelait « le nazi » parce qu'il avait survécu à tous nos combats, aux Allemands, aux Vietnamiens qui en 1946 avaient dépecé des femmes vivantes, et à cause de sa cruauté froide. J'ai haussé les épaules :

— Et vous ?

Il n'a pas semblé surpris. Il n'a rien dit mais sa main a glissé doucement comme s'il voulait échapper à mon cœur. Il a simplement saisi ma radio.

— Donne. A partir de maintenant, silence. Il n'y a plus de voix. Il n'y a plus d'homme. On se retrouve au blockhaus.

L'expérience

Il s'est approché et a murmuré à mon oreille :

— Moi je n'ai plus peur. Je suis après. Je ne suis plus là.

Il n'y a pas de jeunes chefs : il n'y a que des petits garçons. Donnez-leur un uniforme et un poignard. On dirait qu'ils sont à la tête de leur vie. Voilà ce que nous étions, alors, mes hommes et moi : des petits garçons à la tête de leur vie.

Mais j'ajoute ceci : la possibilité de percer le cœur d'un homme ne fait pas un homme. Est-ce la peur du sang ? L'absence de méthode ? Ou l'idée même du poignard ?

Les petits garçons plantent leur canif dans la terre ; et gravent sur les arbres le prénom des filles qu'ils n'embrasseront jamais.

L'expérience

Je consigne ici cette première journée et celles qui suivirent. Je tourne autour de ce point. Je cherche son nom.

Ce sera mon cahier ; non pas une auto-biographie : un cobaye n'a pas de vie, fût-il humain. Il est cobaye, né ainsi, conservé ainsi, expérimenté ainsi. Mort, a-t-il vécu ? C'est un chiffre ; un résultat ; une statistique. Un trait dans le soleil. Peu importe mon nom et ma date de naissance. Peu importe ce qui suivit. Quand tout a commencé, j'avais vingt et un ans.

Aujourd'hui je ne suis plus tout à fait là. A mon tour, j'ai traversé.

Je ne crois pas que mes hommes raconteront. Beaucoup sont malades. Certains sont morts, à trente ans.

Et nous avons signé des contrats, tous, alors ils nous tiennent par ces papiers dont je n'ai nulle copie. Sont-ils dans un coffre-fort d'Aubervilliers ou de Vincennes, déjà archivés et interdits de consultation ? Sur un plateau secret du Centre, comme il y a des ogives, des fûts et des gardes enterrés ? Ou dans un bureau boulevard Saint-Germain ? Je penche pour le bureau. C'est l'histoire : les champs de bataille gagnent les livres ; et les soldats tombent aux dossiers.

Mais on ne meurt pas pour des archives : et si ce cahier quittait mes mains et ma pauvre rue, n'irait-il pas bien au-delà de Saclay et d'Albion, vers Alger, Paris et New York ?

Il n'y a pas de secret : mais un instant où tout s'éveille. Pas encore ? Bientôt.

Soudain les cartons s'ouvrent ; les photographies sont entre nos mains ; les veuves parlent. Les rois trouvent leurs têtes, leurs sceptres ou leurs édits.

Diane de Poitiers nous apprend qu'elle buvait de l'or, chaque matin : ses cheveux tombent en paillettes dans son cercueil. Puis dans un laboratoire d'analyses chimiques. Quatre siècles après sa mort, on comprend enfin son teint de porcelaine, sa beauté de fillette sur tous les portraits. C'est l'éternité qui fait son visage. Et le poison : car l'or est un poison, bien sûr.

Seuls les enfants sont introuvables : voyez Louis XVII. Voyez Jean Ier, mort à cinq jours, et qui vécut autant qu'il régna. Un petit roi du royaume de Rien.

L'Etat se tait mais il parlera. Je vous le garantis. Bien sûr, mes hommes et moi nous serons morts, la mâchoire tordue par ce jour dans le désert.

Au fait. Je n'ai pas connu d'Etat démocratique. Je n'ai pas connu les vertus démocratiques : le courage, le goût de la vérité,

ou la vertu elle-même. Je le dis avec douceur. Peut-être y a-t-il un tel régime, oui,
chez Montesquieu ? Ou chez Tocqueville ?
Voici le titre exact de son livre, mais il
aurait fallu du courage : De la démocratie
en papier.

Depuis ce premier jour, j'ai lu ; j'ai peu
rêvé ; j'ai été déçu.

Je lis et relis mon texte, et ces lignes : elles
sont d'un démocrate. C'est terrible : celui qui
croit qu'il croit encore, et ne fait confiance
qu'à sa déception. Seul ce jour d'avril ne m'a
jamais déçu.

Parfois, un homme me suit. Un autre me
croise et me fixe : je connais leur démarche
faussement détendue. Un samedi matin,
rue Gît-le-Cœur d'où nul ne peut s'échapper, je me suis retourné d'un coup : il était
là, le jeune chef du jour. J'ai marché vers
lui. Il a reculé, la main dans sa poche, mais

que cherchait-il, son arme? Son transmetteur? Je lui ai tendu un paquet de cigarettes, et nous avons fumé ensemble.

Quand je lui ai serré la main, en insistant un peu, j'ai vu dans ses yeux qu'il savait. Alors je lui ai glissé à l'oreille, presque en souriant :

— N'ayez pas peur. Je raconterai tout.

Cet instant figurera-t-il dans mon dossier? Je le souhaite. En souvenir du capitaine qui avait traversé. Et s'il ne l'est pas, alors mon propre cahier finira bien aux archives militaires, lui aussi. Je serai mort. Au complet.

Aujourd'hui encore, il arrive que mes écrans tressaillent; ou nos voix au téléphone. Comme un écho des journées qu'ils n'ont pas connues; ou plutôt : qui ne doivent pas avoir existé. Et si, après cinquante ans, nous avions décidé de parler, d'écrire ? Et si je retrouvais ma fiancée de 1962 : la seule à qui j'ai tout raconté, un soir d'ivresse ?

C'est vrai, nous n'avons pas de preuves. Et notre pauvre cerveau ne vaut pas grand-chose. Après ce qu'il a connu ! Nos mains sont sèches ; nos reins malades. Et de nos bouches, il ne sort presque aucun cri.

Pourtant les mots que je consigne ici, à ma façon, imparfaite sans doute, nul ne pourra les effacer.

Après ces jours d'avril, très vite, mes hommes ont été dispersés : certains vers Wallis ; d'autres en Guyane, où se monteront des fusées grandes comme des maquettes ; d'autres encore vers le site de surveillance aérienne de Caen. Partout des petits garçons.

J'ai été affecté près d'Orléans, sur la base des services extérieurs. Tous nous sommes restés sous le grand regard.

L'expérience

Nous avions rendu nos combinaisons, nos armes, nos lunettes de protection. C'était comme un éblouissement somptueux. Une colonne sur le lac de feu. Il n'en restait rien, pas même l'ordre qui nous avait jetés là. Je n'avais ni papier, ni photographie, ni médaille bien sûr.

Mais étions-nous dans le désert, le jour dit? J'en doute. Nous étions restés à Metz ou à Satory : dans les casernes irréelles de l'armée française. Les journées de Reggane n'avaient pas existé.

Et j'ai oublié le prénom et le nom de ceux qui sont descendus avec moi dans la fosse, ce matin-là.

Aujourd'hui je m'observe dans cette glace fixée derrière la porte de ma chambre et qui se cache aussi, bat, se trouble.

Je déboutonne ma chemise. Mes doigts sont gourds – mais quel homme de soixante-dix ans n'est pas tombé dans la maladresse ? La peau saigne aux poignets, sur les phalanges, au bord des ongles. J'ai les tourments d'un jeune soldat qui se mange les mains. Est-ce la peur de penser ? Ou la peur de se voir ?

Quand je retire ma manche gauche, le coton me brûle le bras et semble pris dans un écheveau de muscles, de tendons : ça coince par là. Me voici torse nu : il suffirait d'une main douce, d'une caresse, et je tomberais en écorché de laboratoire.

Je m'assieds pour retirer mes chaussettes ; puis mon pantalon. C'est difficile. Je me redresse :

— T'as peur ?

Il n'y a plus personne : on envoie maintenant des chiens avec des caméras sur les sites nucléaires ; ou des robots ; ou des esclaves. Il n'y a plus d'obéissance et de patriotisme. Je devrais retirer cette phrase. Pourtant elle cogne en moi. Vieille fierté pas morte. Vieille bêtise immortelle.

Peut-être y a-t-il aussi une connaissance, et même, une connaissance utile de la bombe ?

Cet homme de vingt et un ans qui descend dans la tranchée, il ne sait rien. Pas même le nom de code de l'opération qu'il dirige. Pendant le compte à rebours, il fixe le ciel en tremblant. C'est un homme. Et après ça, il est resté un homme, plus que tous les autres.

Je souris :

— Non, je n'ai pas peur. Je…

Je respire mal. Le cœur me palpite dans la gorge. Je frappe la porte du poing droit, une fois, puis deux, puis dix. Ma femme accourt : elle me trouve assis par terre, nu, pleurant doucement.

Mon histoire commence le 14 juillet 1960. Mon régiment défile sur les Champs-Elysées cette année : pendant dix jours, nous répétons sur le plateau de Satory, sur-volé par la chasse et les hélicoptères. Garde à vous? Repos. Nous sommes fiers d'attendre et fatigués. Le soir, nous fumons en maillots suants le long de la route nationale. Par centaines. Derrière les barbelés. Voici l'armée française.

Il nous semblait alors que la forêt gagnait vers nous dans la pénombre, engloutissant le bitume et les voitures, nos faces perdues dans la brise. C'était inquiétant et bon. La police militaire nous surveillait, nous les jeunes, les débutants, les civils, comme ils disaient. Civils et armés. Des bagarres éclataient. Des discussions haineuses sur la torture et la raison d'Etat. Puis un type a tué un sanglier. Un autre a été décapité par un pont mobile.

A force, la citadelle de Metz nous manquait, nos habitudes et nos chambres de ciment. Nos plans de routes, de ponts. Nos travaux d'ingénieurs du génie, comme on disait. Bientôt, nous pourrions poser nos

21

mains sur la pierre de la vieille ville, et la route de Satory dominant Versailles apparaîtrait comme un pauvre paradis : une lisière.

Le 14 juillet, vers 11 h 30, au milieu de l'avenue, j'ai trébuché sur un pavé, je suis tombé avec mon arme, un soldat a marché sur ma main, un soldat a marché sur ma tempe. Le sang a empli l'avenue et le ciel : deux camarades m'ont évacué jusqu'à l'ambulance blindée. Je me souviens d'une jeune fille me fixant, la main sur sa bouche. Je me souviens de son corsage et de son geste, et de ses yeux effrayés.

A l'hôpital Percy, on m'a soigné sans un mot. Je suis resté ainsi, en pyjama dans une chambre beige à barreaux, un jour, puis deux, puis cinq. Je fumais en observant l'avenue. Je savais qu'elle filait vers Paris. Des convois militaires roulaient vers la forêt, à ma droite. Il y avait aussi des trains fracassant la nuit et ce mauvais quartier. Je devinais des chants arméniens autour des grands braseros.

J'ai interrogé le colosse qui apportait mes repas. Il a haussé les épaules. Une infirmière m'a glissé, un matin :

— Vous êtes aux arrêts. Rébellion.

Sa main a frôlé la mienne.

— Ecoutez… Vous êtes un gentil jeune homme. Personne ne sait où vous êtes. Ici, c'est le centre de transfusion sanguine des armées, alors…

Elle s'est levée vivement :

— Dites-leur quelque chose… N'importe quoi… Dites oui…

Et elle a disparu dans sa blouse blanche.

Après une semaine, un homme en civil est entré. Il m'a serré la main et nous avons fumé en silence, assis sur mon lit. C'était un peu ridicule. Il a marché jusqu'à la fenêtre grillagée en soupirant. Puis il est sorti.

Il est revenu le lendemain. Nous avons fumé de nouveau. Il m'a regardé avec douceur :

— Vous êtes ingénieur. La guerre n'est pas pour vous. Alors venez quelques jours avec moi. Nous faisons des expériences intéressantes dans le Sahara. Des bombes nouvelles. Puis… Vous serez libre. Rendu au monde civil. Très vite.

Il a ri.

— Ah, le monde civil… Quelle invention… Encore plus improbable que la paix. S'ils savaient…

Dans la nuit, il m'a semblé qu'une fleur avait été déposée sur mon lit : elle était pâle, luminescente. Ses fruits faisaient comme des bulbes striés. J'ai tendu la main pour les cueillir. Ils étaient tièdes dans ma paume, humides et palpitants. Quand j'ai compris que cette chair s'écoulait entre mes doigts, grise puis mauve, j'ai hurlé. Mais aucun garde n'est venu.

J'ai dit oui, bien sûr. Les mois ont passé. Puis tout a été rapide. De l'hôpital Percy à Villacoublay, il y a cinq kilomètres. Avec deux autres types en civil, nous avons découvert un camion de déménagement dans la grande cour, devant la statue de Pierre-François Percy. Une société de Versailles avec un nom à particule, je me souviens. Nous avons embarqué non pas dans la cabine, mais sous l'immense bâche noir et jaune. Deux soldats nous attendaient, un fusil sur les genoux. Nous avons roulé à travers la forêt. A l'approche de l'aéroport, nous avons été contrôlés trois fois. Un haut gradé est venu nous dévisager sans un mot ; puis des bergers allemands.

Enfin nous avons embarqué vers une destination inconnue et superbe : la France du très grand Sud, où il n'y avait nulle corniche de bitume, nul asphodèle mortuaire, mais des nomades, des chèvres au poil court, des petites filles jaillies de la plaine sablonneuse, et nous désormais.

Soudain l'avion a plongé. Je me suis cramponné aux sangles. Le désert est passé, brun, gris, dans le hublot lointain, puis il a bleui. Tout ployait : les os de la carlingue ; les palettes marquées au fer « Secret Défense » ; les câbles de cuivre au-dessus de nos têtes comme des fanons inquiétants. Il m'a semblé que ce grand corps criait.

Je n'ai jamais vu la base-vie de Reggane – ce qui fait de moi un mauvais témoin – et je n'ai découvert ce nom que bien plus tard. Mais un témoin qui reconnaît son ignorance est une menace.

La piste d'atterrissage était encerclée de barbelés et de sacs de sable. Notre avion s'est arrêté devant un char. Quand la soute s'est ouverte, un homme m'attendait, accompagné d'un garde en civil : il a vérifié mes papiers, je l'ai suivi sans un mot, et sa jeep siglée « GV » m'a conduit à un premier blockhaus. Le sergent a levé un doigt vers l'arc de fer qui marquait l'entrée :

— Alpha. Blockhaus Alpha. C'est son nom. Pour vous qui aimez les maths.

J'ai admiré le sable, les cailloux, l'horizon de métal. Tout me semblait d'une netteté absolue, presque spirituelle, même le rien, même ce rien bien réel, même l'absence de cause, même le silence de tous.

L'expérience

Le civil de l'hôpital Percy n'avait pas menti. Je suis resté trois jours dans ce camp du désert. On m'a donné une chambre sans fenêtre qui était un cachot pâle ; avec un lit ; un lavabo ; et un ventilateur colonial qui traînait. Mais ni livre ni journal ni cigarettes. J'ai dormi. Puis écouté les bruits sourds qui parcouraient les tuyaux et la structure du bâtiment. J'en ai déduit que je dormais sous la terre brûlante.

Il me restait un calepin : j'ai travaillé à l'hypothèse de Riemann en soupirant. Je n'avais aucune chance de rien résoudre, bien sûr, ni ici ni ailleurs, mais cette abstraction me plaisait. Très vite je suis tombé dans un sommeil de zéros non triviaux et de fonctions analytiques complexes.

Dans la nuit, le capitaine m'a secoué : Lève-toi ! Il faut se préparer. C'est maintenant.

Je crois qu'il était deux heures. Ou trois. Ou cinq. Peu importe. J'ai souri. C'était un nombre premier.

L'expérience

Plus tard, dans une pièce de blockhaus mal carrelée, j'ai montré à mes hommes leurs épaisses combinaisons blanches.

Je dis « mes hommes » car on me les avait confiés. Mais sur cette base du désert, il n'y avait ni grades ni uniformes, ni régiment. Il y avait le secret, sous le plus haut soleil.

Enfin, il y avait l'ordre : à ce trouble, je ne connais pas de remède. Parmi les humains, nul besoin d'électricité et de coups. Quel plus grand plaisir que l'obéissance ?

Bien sûr, cette phrase choquera ma fille, qui croit à la révolte ; ou même à la peur, qui nourrit la révolte. C'est qu'elle a vécu dans la douce pensée. Et dans la paix de n'avoir pas vu.

Nous n'avons eu aucun mal à enfiler notre nouvelle tenue. De lourdes bottes noires qui sentaient le pétrole. Des gants rigides, presque enfantins. Et une cuirasse jusqu'au cou, doublée sur le thorax.

Ainsi vêtus, nous nous sommes regardés. Il aurait fallu rire de cette bande de

scaphandriers suants. De ces chevaliers chas-
seurs de Touaregs révoltés.

Mais la combinaison était inquiétante, sa
blancheur, ses renforts. Nous nous sommes
assis sur les bancs de métal.

Nous, bien sûr, on se taisait. Mais le
bâtiment soufflait, grinçait, comme secoué
par ses propres organes. Etaient-ce les
préparatifs ? La descente des équipes vers
les abris ? Etait-ce la technique même, qui
ne peut se taire, et laisse parler ses tuyaux,
ses courroies, ses filtres, ses capteurs, ses
caméras, son verre blindé, les objets lancés
par l'homme et contre lui ? Nous étions ber-
cés par les voix, les échos, les palpitations de
cette cavité au souffle ample : pour un peu,
j'aurais voulu faire connaissance.

L'expérience

Après quelques minutes, l'un de nous s'est levé brusquement et a gueulé « Laissez-moi sortir! Laissez-moi sortir! ». Il a tapé, tapé, puis s'est effondré doucement contre la paroi, qui était scellée de l'extérieur. Il pleurait : « Ils nous ont enfermés… En plein désert… Ils nous tiennent… On est foutus… »

J'ai marché jusqu'à lui, j'ai tendu mon gant qu'il a saisi, et avec un autre nous l'avons relevé. Il avait raison bien sûr, il avait raison et nous le savions tous. Alors j'ai gueulé : « Tais-toi maintenant! » Il s'est rassis. Chacun tenait son masque à gaz et ses lunettes de protection. Une heure a passé. Je fixais entre mes mains un compteur à aiguille, sans indication, quand une sirène a retenti, traversant jusqu'au bunker. C'était le signal annoncé : Tous aux abris. Nous pouvions sortir.

L'expérience

Avant de quitter Percy, j'avais signé une lettre pour mes parents, irréelle de sérieux et de vérité. Un ordre des autorités militaires. Mais quelle obéissance ne donnerait le plus bel amour?

Ma petite Maman, si tu lis ces lignes, c'est que je ne pourrai plus te serrer dans mes bras. Jamais. Ni toi mon cher Papa. J'ai eu de la chance, tant de chance, d'être né de vous. D'avoir vécu vingt ans avec vous. Et d'être choisi par mon pays. Je suis parti dans le Sud algérien pour une mission secrète. Et vous savez que j'aime tant les sciences… Ma petite Maman, si tu lis ces lignes, alors tu seras bien triste, et moi aussi de ne plus pouvoir t'aimer comme avant. Avril est le plus cruel des mois. Là où je suis, il n'y a pas de tombe, pas de lieu, mais des fleurs sur la terre morte. Il n'y a qu'un immense soleil, celui de la jeunesse qui ne passe pas, celui de ce désert qui est notre pays. De là-bas, je te souris, je t'embrasse, je vous embrasse…

L'expérience

Je n'ai jamais revu ces lignes, mais j'en ai gardé le souvenir précis. J'ai presque pleuré en les écrivant : à raconter sa mort, on finit par y croire. C'est un plaisir de naïf : être dehors ; être dedans ; mais ne pas cesser de vivre.

Les coffres-forts ont de la chance. L'Etat donne du talent aux morts, puis les oublie s'ils restent vivants. Robespierre fredonnait des poèmes et écrivait des sermons ; de Gaulle se voulait romancier. Toute dictature est romantique : c'est ce qui plaît aux démocrates – mais à la fin, elle se perd.

Les Français sont trop romantiques pour aimer la démocratie. Ils veulent être dedans et dehors. C'est impossible à un seul cœur. Alors ils n'aiment pas la vérité.

J'écris sans relâche. C'est une course contre le silence. Il me semble apercevoir des reflets, des éclats. Ce ne sont pas les blés, les meules ou la terre noire. Ce ne sont pas les fleuves bouillonnants. Ce ne sont pas les collines du Morvan. Ni les falaises de Courbet, qui sont des lèvres de calcaire, des nymphées secrètes. Dans ces instants, il n'y a plus de pays. Et l'histoire s'en est partie avec les mots. Du vent!

Pour moi, la faucheuse avance et essaye sa lame. Bientôt, je n'écrirai plus.

La porte s'est déverrouillée dans un claquement de métal. Il y a eu une brève décompression, comme un soupir, et le capitaine est entré. Il a lancé : « L'opération commence. A vous de jouer, les gars. » Il a semblé hésiter puis a ajouté : « C'est formidable, une équipe d'ingénieurs! »

Il a posé sa main sur mon épaule, je l'ai trouvé pâle et j'ai eu ce même geste. C'était un peu ridicule. J'avais envie de le serrer contre moi, ce con. Il a eu la même idée, je l'ai vu à ses yeux, à quelques centimètres, ses yeux clairs qui ne cillaient pas.

Je me suis retourné et j'ai souri à mes hommes. Nous étions déjà trempés de sueur. Quelqu'un a lancé : « On sera mieux dehors, c'est sûr ! »

Certains ont pris leur masque à gaz et une arme, d'autres leur matériel de transmission. Les matricules étaient illisibles. J'ai serré le rouleau de pages blanches dans ma paume, et nous sommes sortis.

Il a fallu de nouveau longer les couloirs de ciment. A suivre les tuyaux gris qui s'échappaient de tous côtés, je songeai soudain à la conjecture de Syracuse : quoi de plus rassurant que les mathématiques ? Je me répétai l'enchaînement indécidable : la durée de tout vol est finie ; la durée de tout vol en altitude est finie ; tout vol a un nombre fini d'étapes paires ; tout vol a un nombre fini d'étapes impaires ; tout vol a un nombre fini d'étapes paires en altitude ; tout vol a un nombre fini d'étapes impaires en altitude. Et puis quoi ?

Je sursautai : cette suite n'avait-elle pas changé de nom dans le laboratoire nucléaire de Los Alamos ?

Nous avons marché un quart d'heure jusqu'à une porte de ciment. Le capitaine a saisi un long code chiffré et un rai brûlant nous a traversés : le désert. J'ai porté la main à mon front ; tout était douloureux et gris. Nous avons baissé nos capuches, enfilé nos masques et suivi le tunnel jusqu'à la lumière. Il n'y avait plus d'hommes. C'était le monde du gravier, du feu, des gazelles perdues.

Comme prévu, j'ai repéré les panneaux numérotés. Nous partions de 100. La suite de Reggane était pauvre.

L'expérience

Après quelques mètres, je me suis retourné. Le sas avait disparu, seulement dominé par un petit fanion français, et notre capitaine, et les barbelés. La terre même a glissé dans ses plis. Nous étions enfermés.

Depuis ce jour, mes mains sont sèches. J'essaie des crèmes. Des savons. Je me masse à l'huile d'amande. Mais rien à faire : mes phalanges sont cuites, ma paume est raide comme s'il manquait de la toise. M'a-t-on prélevé une livre de chair ? Et pour quel manquement à quel contrat ?

Souvent je saigne. Je ne peux plus caresser ma femme : elle m'embrasse et me glisse :

— Laisse-moi faire.

Elle fait une chose folle, elle suce mes doigts, elle les embrasse, elle boit mon sang. J'ai honte.

Maintenant je porte des gants. Je voudrais que mes mains soient comme l'aine ou les paupières des enfants : un pli de noblesse.

Après ces dizaines d'années, je ne dis plus rien. Je ne pense plus. Seule la peau, tachée, brune, effrayante, parle.

Après une demi-heure de marche, nous avons atteint le panneau numéro 1. Une plaque si française, blanche et bordée de bleu indiquant un village, une route fichée dans la terre.

Mais il n'y avait rien ici. Trois cents mètres plus loin, un éclat de métal a fusé vers nous ; c'était là. Un panneau Zéro indiquait la tranchée. Mes hommes sont descendus péniblement. La sirène a retenti de nouveau, puissante, incroyable en ces lieux. J'ai cherché des haut-parleurs sur l'horizon flottant.

L'expérience

Il m'a semblé voir un câble tendu vers le ciel : c'était absurde. J'ai frotté ma visière, et le mince pylône a disparu.

Assis au fond de la tranchée, je savais qu'il nous restait quinze minutes. J'ai placé le compteur entre mes jambes et j'ai levé la main toutes les soixante secondes.

Les hommes cherchaient mon regard : c'est ça, être un chef : être sans regard ; ou montrer des yeux si vides qu'ils en paraissent décidés. Nous respirions mal. Le secret comprime tout.

A trois minutes, je suis allé regarder chacun à travers son masque. Ils pleuraient, les enfants. Tous. Je pleurais aussi. Alors la sirène n'a plus cessé. Nous avons enfoncé la tête entre nos coudes et nos cuisses, comme nous l'avions appris – mais pour quelle expérience ?

A une minute, je n'ai pas levé la main car ils savaient, et ce hurlement mécanique nous tient, jusqu'à aujourd'hui.

L'expérience

Quand notre fille est née, j'ai connu une sensation proche : une lente plongée dans le temps, douce et si peu humaine. Je caressais le front de ma femme en silence : qui l'emportait ? La souffrance ? La vie ? Ou le temps ? C'était la conscience absolue de tout, évidemment impossible, mais il y a l'enfant : soudain l'être sanglant et doux sur le ventre de sa mère. Est-elle la mère ? Est-elle ma femme ?

On traverse, on vit, on ne sait pas ce qui a eu lieu.

Après ça, quand la sirène s'est arrêtée d'un coup, nous n'étions plus humains. Nous étions dans l'histoire.

A la dernière minute, enfin, j'ai vu ma propre mère : son beau visage en sueur, ses yeux mi-clos d'avant sa mort. Elle avait vingt ans, j'allais naître dans cette clinique de l'Ouest, respirer, la rencontrer, choir dans sa douceur, mais non : me souvenir.

L'expérience

Quand je fixe longtemps une photographie d'elle, je ne sais plus : l'ai-je connue? Ou bien non?

Or ce visage de jeune morte qui ne put caresser son premier-né, désormais, c'est moi. Il ne fut pas qu'une hypothèse humaine.

Je ne suis pas retourné à Metz. Je sais que mon oncle y a vécu en garnison, à la fin des années 1930. Ma tante se souvenait du grand bal annuel : elle m'a montré, tard, son carnet de toile où un colonel s'était inscrit : le colonel de Gaulle. Ce bel objet a disparu, emportant ma tante, son unique robe longue, crème et crinoline, la graphie altière du grand homme, son uniforme, la fortification, la ligne Maginot, la ville, notre histoire.

Metz n'existe plus. Ni même Satory, l'immense parking militaire fiché entre forêt, autoroute et parc de Versailles.

L'expérience

Que je vous donne un peu une leçon d'irradiation : pour faire disparaître une ville ; un paysage et ses milliers d'humains, ne fondez pas un laboratoire de physique nucléaire. Ne cherchez pas fébrilement les codes enchaînés à votre main, non. Fermez les yeux. Respirez. Et si le sang palpite à vos paupières, lassitude, manque de calcium, amour perdu, désir d'été, alors placez une main sur vos yeux clos. L'irradiation n'existe pas. C'est un souvenir sans lumière. Une image qui ne peut se rendre.

Croyez-moi, fermez les yeux : et vous pouvez continuer, tout, comme avant, le travail, l'amour, les voyages ou les enfants, le rire, la danse, et même le cinéma ou la peinture – la mort ne vous regarde pas.

J'ai lancé le compte à rebours.

J'ai murmuré les chiffres, en articulant comme jamais, il me semblait créer une langue mais c'étaient de pauvres lettres, dix, neuf, huit, que je ne pouvais pas figer, puis sept et six, et cinq. Alors je n'ai plus rien dit, plus respiré, plus rien, j'ai laissé le temps venir.

On a franchi le zéro.

Ce n'était pas mon cœur, mais la terre. D'abord je n'ai senti qu'une vibration, une secousse infime, née de mes propres mains, de mes jambes, de mes pieds. Ou du sable. Puis tout s'est dressé lentement.

J'ai fermé les yeux. Serré mon crâne entre mes gants, de peur que les os ne s'échappent un à un.

Les graviers dévalaient dans la tranchée. En face de moi, l'étai a ployé comme une feuille. Il n'y avait plus de fosse ou de plaine, mais une vague de terre, une ondulation mathématique irrégulière.

Un homme à gauche s'est effondré vers l'avant. J'ai voulu approcher : impossible de lever la main.

J'ai senti le fer dans ma bouche : je saignais moi aussi. J'ai souri à cette pensée vivante et organique. Puis je crois que j'ai hurlé, je ne sais plus.

J'ai fixé mon visage à travers le masque de protection, mes lèvres fendues qui s'ouvraient sur le silence.

Un soir, j'ai pris un de ses cahiers à ma fille. Sur les lignes de l'enfance, j'ai consigné ces secondes sans réfléchir. Nul ne veut les connaître, ni les chercheurs, ni l'armée. Ni les miens.

Qui voudrait approcher ?

C'est une pensée odieuse : nous pourrions ne plus être là. Avoir vécu, à peine. Pourtant, je suis dans ces pages. J'entends de nouveau. J'entends ce que je n'ai pas entendu et je ne sais pas comment nommer ce mugissement. Peut-être était-ce la peur. Ou la mort.

En 1998, un journal français a révélé que la bombe avait été fixée au sommet d'un pylône de cinquante mètres. Les témoignages étaient précis.

Je n'avais pas rêvé. Et certains parlaient.

En 2002, le ministre des Armées de l'époque, vieux et légendaire dans son costume à galons, expliquait dans un autre journal : « Nous voulions surtout évaluer le niveau de radiations subi par les hommes afin de définir les distances de sécurité. » Puis : « Les Etats-Unis avaient réalisé plusieurs expériences comme celles-là, mais ils refusaient de nous en communiquer les résultats. »

J'ai défini les distances de sécurité. J'ai fait l'expérience et les résultats. J'ai été un cobaye. Quant à toi, Pierre Messmer, dans ton bureau de 1961, dans ton silence de 2002, sans regret, sans geste, sans un mot pour nous, les petits garçons désarmés dans la tranchée, puis dans ta tombe de 2007, je ne te maudis même pas. Tu fus un héros à vingt ans, un jeune Français glorieux, décoré. Que dit Chateaubriand ? J'ai changé d'ange en changeant d'année.

Tu es mort sans rien connaître : c'est moi qui ai vu Reggane et le monde d'après.

Il y a eu un flash gigantesque. Ce n'était pas la lumière, ni même la foudre, ce n'était pas l'arc-en-ciel, c'était après la lumière.

Au-delà de mes facultés.

Je l'ai senti tout de suite : cet éclair silencieux transperçait la plaine, la tranchée, le monde, il était le ciel lavé, sali, il était moi, il était mes voisins qui étaient mes hommes, il creusait d'un coup.

Nous étions comme de l'eau.

J'ai vu ma main translucide.

J'ai vu mon dos comme une arête.

J'ai vu mes yeux racornis, séchés, encore vivants.

J'ai vu mon cerveau bleu, évidé tel un buisson.

Au-dessus de nous, un anneau de sable noir progressait, gigantesque et lent. Puis un deuxième. C'était un bouillonnement. Un amas d'ombre.

Ensemble nous avons regardé le temps, durci, pourtant irréel, qui venait jusqu'à nous.

Tout s'est grisé dans une pluie de pierres. Ça tombait de tous côtés, dans un vent brûlant et noir. Il pleuvait de la cendre, mais je n'ai pas le souvenir que nous nous protégions.

Mon voisin s'est tourné vers moi : j'ai vu ses yeux après avoir frotté son masque. Nous étions dans la nuit.

L'éclair avait disparu, il était une lettre, disons la première, peut-être une formule, une suite de nombres, entiers, hésitants, frêles, un chiffre sur le spectre infrarouge, ou ce petit vent de désert qui nous enveloppait maintenant et voletait, enfantin. Et semblait nous apporter un vague soleil.

Quand l'onde de choc a déferlé enfin, nous sommes tombés.

Je ne sais pas pourquoi, j'ai obéi aux ordres. Qui serait venu nous chercher ici ? Nous sortir de la fosse ? Nous abattre pour rébellion ?

J'ai compté vingt minutes. Je me suis mis à genoux et j'ai respiré ainsi, fixant le gravier, observé par mes hommes. J'avais vingt et un ans. J'étais vivant.

Puis je me suis redressé.

L'expérience

Alors j'ai vu le soleil qui perçait à l'ouest. Ou bien nous étions égarés. J'ai cherché la grosse montre de plongée à mon poignet, mais il ne restait que le fond, impeccable et vide et sans ombre.

Mon corps transparent pesait un corps d'homme. J'ai levé la main. Chacun a pris son arme et m'a suivi sur l'échelle. Et nous avons marché tel un bataillon d'enfants.

Dans la marge, ma fille a noté ces mots d'Aragon : « Certains jours, j'ai rêvé d'une gomme à effacer l'immondice humaine. » Je lui réponds par écrit : est-ce qu'il n'y a pas aussi une beauté de l'obéissance ? Je me reprends : n'est-ce pas la définition du fascisme ? Ou mieux : de la démocratie, qui élit son obéissance ? Je raye ces égarements, une fois, deux. Après tout, j'y étais. A cette page, ma fille dépose une fleur séchée. Plutôt un lys dans l'azur, plutôt le fruit de l'asphodèle que ces mots ou des regrets, ou de basses pensées.

On m'a menti. On nous a menti. On a été poussés, bien sûr. Forcés. On a menti aux ouvriers, aussi. A ces pauvres habitants du désert. Certains se sont installés non loin, des années plus tard.

Eux n'ont pas vu l'éclair mais la maladie. Les tôles de certains blockhaus ont été utilisées, volées, vendues dit-on, mais par qui, et où, et pourquoi à ces Touaregs qui en ont fait des toits ? Drôles de maisons de mortier et d'aluminium. Mais rien ne passe : la bombe a frappé, elle frappe.

Beaucoup plus tard, j'ai vu des photographies de l'explosion. Puis des vidéos. Les anneaux sont superbes, presque dorés, tour à tour cyan, ocre, joyeux : ils gagnent le ciel comme une fleur épanouie, tournesol, clématite, if empoisonné. Puis ils ploient vers la terre, saule en cascade de feu. Mais c'est un mensonge de plus : tout était gris et noir, ce matin-là. Et le son qui accompagne les vidéos est celui des musiciens, des créateurs, ou des preneurs qui n'ont rien pris : c'est un son rajouté, comme une teinte – un brouillard, une vibration, une mesure scientifique. Mais il n'y a pas d'humain.

Ce cahier n'est pas un combat ou une vengeance. Qui le lirait ? Et qui y prêtera attention, après la gloire que furent ces essais, les nôtres, et ceux de notre savoir-faire, de nos ingénieurs ? Moi-même j'étais et je suis fier de cette bombe française.

On a fait la leçon au monde, et quelle leçon !

Pourtant j'ai mal aux yeux, aux mains, au dos, au crâne. Pourtant les nausées ne cessent pas. Je marche mal. Et nul ne comprend.

Je suis le produit de ces essais : le cobaye en chef. Ne soyons pas trop fier, car il y en aura d'autres.

Ici je ne cherche pas la gloire : nul ne connaissait mon nom. Et qui réclamerait, pour mes hommes, pour moi, pour les autres, une pension ? Une pensée ? Et un jour, une stèle ?

Il y a eu ces mensonges successifs, inconnus encore, qu'on appelle silence. Ou secret d'Etat. L'écrire est si banal… Alors j'entre dans l'histoire, avec ma banalité et mes mains sèches.

Moi, le débutant, le civil, l'ingénieur, je tenais entre mes cuisses ce compteur qui ne s'affola jamais. Dès l'explosion, l'aiguille fut bloquée à son maximum.

L'expérience

Cette histoire n'est pas la mienne, fût-elle inoubliable. Ni celle de la France. Car elle a eu lieu dans de nombreux pays, dit-on. Parfois dans le désert ; dans des cavités profondes ; dans les lagunes pacifiques. Maintenant à travers de vastes calculs, sur écran. Une conjecture nouvelle. Et bien sûr secrète. Je ne crois pas aux essais virtuels : Qui ne voudrait tenter cette mort ? Qui ne voudrait jeter l'homme dans un lac de sang ?

J'ai approché l'instant qui n'est plus la vie et pas tout à fait la mort. Il y a un terme géographique et militaire : le point zéro. Et ces essais ont eu des codes politiques : Gerboise verte. Hippocampe rouge. Etions-nous des chevaux colorés ? Des monstres marins ? Ou bien était-ce pour nommer cette part de nos cerveaux soudain translucide ?

Je ne peux pas être l'ingénieur de ma propre expérience. De Percy à Reggane, je n'existe pas. Je n'apparais pas. On me dira excité, radical. Manipulé. Dépressif. Attaqué par ce que je dénonce. Sans conscience des enjeux stratégiques. On dira : c'est un naïf. Et il avait vingt et un ans.

Or je raconte ce que j'ai vu. Et ce que j'ai vu, c'est mon corps transparent : un humain sur une paillasse de sable vitrifié. C'est ma cause, la cause de moi, de toi, de soi : notre cause, si nous voulons vivre.

Je suis sorti de la tranchée et tout de suite ses yeux m'ont fixé : deux prunelles de cendre. C'était une chèvre. Une pauvre chèvre que nous n'avions pas vue, ou bien elle était apparue soudain, enchaînée sur la plaine, face au pylône et à la bombe.

Un chevreau semblait s'abriter derrière elle, sur ses pattes tremblantes. Tous deux étaient parfaitement lisses, non pas noirs, mais comme cuits, la chair écorchée.

Un de mes hommes s'est approché et est tombé à genoux. Il est resté ainsi face à la mère, droit, les mains sur les genoux. Il semblait lui parler. J'ai fini par lui donner un coup à l'épaule :

— Allez, lève-toi. Faut y aller. Elle est sourde et aveugle et morte.

Nous nous sommes écartés. On savait bien qu'il ne fallait pas la toucher – d'être restée là et d'avoir survécu, elle était dangereuse. C'est toujours la même histoire : on ne sait pas, et on sait.

J'ai regardé en direction du pylône. Ce n'était plus un échafaudage de fer. La bombe l'avait plié net.

Les anneaux avaient disparu, laissant le sol durci : un miroir de mauvais sable où nous posions nos bottes. J'ai abandonné mon compteur, et la chèvre s'est mise à hurler, hurler sans finir. Le chevreau était tombé sous elle comme une pierre.

J'ai fixé cette bouche irréelle de vie. La mâchoire et la langue étaient noires, séchées, et ses yeux et tout le crâne sortaient. Pourtant il y avait encore ce cri, mécanique, sans être. Un cri à nous rendre fous.

Sans réfléchir j'ai sorti mon revolver et j'ai tiré. Bien sûr, c'était une faute. Détruire un échantillon, des résultats. Au quatrième coup, elle s'est affaissée sur son enfant.

Le hurlement n'a pas cessé : il me perce encore le tympan. Et combien de fois cette pauvre face m'est apparue, les yeux noirs, sans larmes, fixés sur nous, sur moi. Comme attachés. Elle avait senti sans doute, à son dernier instant, qu'il y avait des vivants. Des hommes. Et nous étions les maîtres.

Pour ce cri, j'aurais renoncé à la France. Nous étions tristes et humiliés. Il n'y avait plus de gloire, de bombe, de jeunes chefs, mais une cohorte d'enfants.

Ma femme et ma fille savent que je ne suis pas mort. Mais le capitaine avait raison : nous ne sommes plus là.

L'expérience

J'ai aimé, j'ai travaillé. J'ai voyagé aussi. J'ai voulu laisser mon nom à une conjecture opaque. Faut-il l'appeler la conjecture de Reggane ? Les mathématiques m'ont habité jusqu'à ce jour. Elles m'amusent et m'excitent. Elles me forcent. Elles me travaillent : c'est ainsi, les mathématiques sont toujours à la fois dedans et dehors : à l'extérieur du monde puisqu'elles s'en détachent par l'abstraction ; et pourtant à l'intérieur du monde, puissamment, puisqu'elles irriguent et expliquent tout. Alors c'est une sorte de vie au plus près de la mort. Ces phrases, je les aime. Elles ne sont pas de moi, mais d'un de mes professeurs, qui riait en les disant. Et il finissait toujours par « Et n'oubliez pas : les mathématiques renferment quelque chose de précieusement important sur la réalité des choses… ».

Ma vie a été happée par cet instant. C'est une phrase choquante, je sais. Et qui voudrait l'entendre ? A croire que je regrette ce seul matin, tant j'y pense, tant il m'occupe, tant il me tient.

A Montparnasse, j'ai serré des femmes contre moi, elles m'ont déshabillé, j'ai senti leurs mains, leur haleine, leurs dents, nous avons ri souvent, et bu la Seine jusqu'à Antifer : aucune ne m'a dit que je puais le sable et la mort.

Je voulais boire, danser, vivre. Alors je n'ai jamais parlé de Reggane.

Le lendemain de l'essai, ma main gauche s'est paralysée. Le pouce s'est bizarrement collé à ma paume et n'a retrouvé sa souplesse qu'après deux années d'exercice.

L'expérience

Le capitaine m'avait dit :

— Marchez jusqu'au pylône, puis revenez. C'est tout. Marchez. Pas d'initiative. Et surtout : ne pensez à rien.

C'est ce que nous avons fait. En formation de combat.

Je progressais lentement : ce n'était pas la peur ; ce n'était pas la poussière, argentée et comme solide, qui collait à nos combinaisons et semblait nous chercher, magnétique. Non. C'était la fatigue.

Nos muscles tiraient. Je frottais mes doigts dans mes gants trempés de sueur. Ils piquetaient, cherchaient leur sang. Tous mes hommes tapaient leurs mains l'une contre l'autre.

Nous avancions comme des vieillards. Le pylône semblait s'amoindrir, toujours plus net dans les vagues de sable.

J'ai aperçu au loin un véhicule blindé. La sirène a retenti de nouveau. Nous étions à une demi-heure de l'explosion.

Un homme a crié. Il venait de trébucher sur une cage enfouie par le souffle.

Un lapin se tordait, rose vif, sanglé sur le métal.

— Ne le touchez pas ! j'ai gueulé.

— On dirait un zèbre, a dit quelqu'un.

Son corps était strié. On l'avait enduit d'une crème grasse : il était cuit vivant. Entre ses pattes, quelqu'un avait tatoué : 1KM – RGN – GV. Nous approchions.

Je me suis tourné vers mes hommes : l'un d'eux a fait quelques pas et a désigné une deuxième cage avec son fusil. Plusieurs rats tremblaient, un bandeau noir sur les yeux. Le sol de leur cage était gélatineux. Etait-ce une crème de protection ? Ou bien leur chair fondue ?

Je relis ce cahier. Pauvres pages mal fichues. Je n'ai même pas photographié mes taches brunes, à mon retour. Mes certificats médicaux. Les analyses et l'incompréhension des médecins.

L'expérience

Aucune date, aucune preuve. Rien.

Je n'irai pas me confier à un journaliste ; à un romancier ; ou même à ma fille. Cet instant est à moi. Il ne peut être ni analysé. Ni enjolivé. Ni clarifié. Il doit apparaître dans toutes ses dimensions. Dans sa pauvreté. On m'a dit une phrase de philosophe : « L'œil innocent est aveugle. » Voir serait tomber ? Alors il n'y a pas d'enfants. Ou bien, j'ai vu l'innocence et elle m'a aveuglé.

Je résume : c'est l'histoire d'un homme qui a vu quelque chose ; qui l'a connu sans le voir. Et qui, ne l'ayant ni vu, ni compris, n'a pas cessé de vivre. Ce quelque chose, ce n'est pas Austerlitz ; ce ne sont pas les heures glorieuses ou vaines ; ce n'est pas la vie et ce n'est pas la mort. Plutôt une approche. Une répétition qui ne peut avoir lieu.

C'est donc à peine un cahier : disons un essai. Une expérience.

L'expérience

C'est à moi de découvrir ce que j'ai inventé.

L'un de nous est tombé à genoux. Il vomissait dans son masque et a cherché à le retirer follement, se débattant, les deux mains à son cou. Alors j'ai couru vers lui et je l'ai assommé. Il est tombé raide, sur le côté. Je lui ai vidé l'œsophage en pressant avec mes gants.

J'ai crié :

— Ecoutez les gars. On est à un kilomètre de l'impact. C'est bien, je crois. Maintenant, on rentre.

J'ai ordonné à chacun d'abandonner son matériel. On a empilé les mitrailleuses, les cartouches, les radios, toutes marquées d'un écusson glorieux. Et on a couru, couru, trébuchant sur les pierres, sur rien, les genoux tendus sous le poids de nos combinaisons, poursuivis par des images de nuit, de sable, poursuivis par la lumière et par la sirène qui ne cessait plus de hurler.

Je voudrais avoir consacré ma vie à la vérité. Mais pendant cette marche, puis cette course, y a-t-il encore une vérité ? Y a-t-il encore de la vie ?

Il paraît que le protocole scientifique était strict : bacs de décontamination ; douches puissantes ; incinération des équipements. Nul ne pouvait nous toucher sans combinaison.

Nous sommes restés deux heures à trembler sous l'eau, le savon, assis sur le carrelage brûlant. Je pleurais. Mes pieds étaient rouge vif. Et ainsi, la peau rêche de propreté, les ongles récurés et taillés, les cheveux ras, nous sommes descendus vers l'hôpital souterrain.

L'expérience

Il y avait donc ce monde : des couloirs, des ascenseurs, des passerelles, des dizaines de gardes, chercheurs, infirmiers, tous armés, tous en treillis. Et il y avait cet abri.

Ils nous fixaient, tous, puis baissaient les yeux. J'aurais voulu un miroir pour comprendre.

Mais à observer leurs blouses et leurs uniformes, je savais : le nom et l'insigne étaient arrachés.

On dit que nous avons été perfusés, transfusés, infusés, retournés, radiographiés, palpés. On dit que l'un de mes hommes est resté paralysé du visage et des jambes plusieurs jours. Un effet de la peur, m'a glissé le médecin-chef. Je ne l'ai plus revu. Tout comme le capitaine, et ses ordres blancs : évanoui.

On dit enfin que la mission a existé, que des cobayes humains ont été jetés dans la cage de feu, dans la belle geôle du Sahara. On dit aussi que cette geôle, nous l'avons perdue très vite. Nous, la France. Fallait-il se dépêcher de salir ce pays que nous devions rendre à ses habitants ? Ou étions-nous tentés par la mort ?

Depuis quelque temps, ma main tremble, mon œil palpite, et ce n'est pas la peur : c'est la fin.

Beaucoup plus tard, j'ai lu un court témoignage sur Hiroshima. Un jeune homme fuit l'incendie gigantesque et croise une femme égarée. Sa robe s'est collée à sa peau. Ses mains ont fondu. Il n'y a plus ni chair ni tissu, ni soie ni fleur, ni cheveu ni regard. Il y a cette femme qui ne s'arrête pas et court vers le point d'impact.

Peut-être suis-je dans la même situation : je ne cesse de retourner à Reggane. Je n'y cherche rien, ni jolies phrases ni drap de soie. Je n'attends pas de parole, centurie ou poème. Je ne guette pas de souffrance ou de beauté. Je sais même qu'il n'y aura aucun signe. Aucune trace. Aucun visage connu. Mais je dois y être. C'est comme si, à cet instant de ma vie, il y avait un maître.

A Paris, j'ai passé mes journées au cinéma – mais toutes les images ne chassent pas la seule image.

Je m'effondrais dans un fauteuil de côté, au Pathé-Montparnasse, laissant venir les drames, les joies, les petits rôles, les claques ou le grand amour. Parfois les drogues. Le jazz. Le monde se tenait devant moi, et à force, il semblait vivant.

Un soir dans la pénombre j'ai frôlé le manteau d'une jeune fille : elle vivait là, elle aussi. Elle m'a souri. Sa jupe était noire et courte. Son corsage à paillettes scintillait sur moi. Sa main était sèche comme la mienne : je ne l'ai plus lâchée.

L'expérience

Le lendemain, entre deux portes tapissées de moquette, à l'orée d'une salle, au troisième étage de ce vieux cinéma glorieux, nous nous sommes embrassés. Je l'ai tenue contre moi, elle riait entre mes lèvres, j'ai déboutonné son corsage et caressé ses seins. J'ai plongé mes doigts dans sa gorge, elle a salivé, j'ai embrassé ses cheveux, serré son cou, j'ai frôlé ses jambes et ses bas défaits, puis un lion a rugi, et comme une voix d'homme murmurait « I shall never forget the week-end… », nous avons fui l'écran et couru jusqu'au boulevard.

Nous étions tous deux perdus, alors nous avons bu en riant, dansé, chanté. Le 1er janvier, dans ma chambre du boulevard Raspail, elle a murmuré « je serai ta fiancée de 1962 ». Puis elle m'a dit tant de choses sur son enfance, sur sa vie, sur le silence, la cocaïne. Tout me semblait rassemblé en elle, jusqu'à l'oubli de soi.

Un soir d'avril, nous avons marché jusqu'à Denfert-Rochereau. J'étais ivre, elle aussi.

Nous nous sommes assis au pied du lion de cuivre, et nous avons parlé. Là, je lui ai tout raconté de Reggane. Tout. Ma petite fiancée se tenait droite, et ses yeux me fixaient intensément.

Je me suis collé à elle :

— Regarde-moi, regarde, tu verras ce que je ne cesse de voir. Et pourtant, toi tu me sauves…

A la fin, sans un mot, elle s'est levée et a marché vers les beaux immeubles de Vavin. Elle s'est retournée dans la nuit glaciale, j'ai vu son sourire doux et ses larmes, son geste de la main, sérieux et clair, qui semblait dissiper les volutes. Et elle a disparu.

A Paris, je me suis jeté dans les mathématiques : le plus beau régime politique du monde. Sans peuple, sans dirigeant, sans corps intermédiaires : mais pas sans lois. Pour ce qui est de la raison, je ne sais pas.

L'expérience

J'ai travaillé de nouveau à la conjecture de Montgomery, arrachée à ma chambre de Reggane. Dans les années 1970, à Princeton, elle est devenue la conjecture de Montgomery-Dyson.

Accrochez-vous : selon celle-ci, les zéros de la fonction de Riemann, qui elle-même règle le cours des nombres premiers, sont guidés par les mêmes statistiques que les espacements entre niveaux d'énergie d'un atome aléatoire. Il y aurait un lien entre la physique atomique et la répartition des nombres premiers. Et un lien considérable. Bien sûr, c'est une conjecture abstraite, qui ne s'applique à aucun atome en particulier – mais à un modèle abstrait d'atome. Je l'ai dit, elle renferme quelque chose de précieux sur la réalité des choses – mais je n'ai ni nom, ni preuve, et aucune de mes études n'a été publiée par les grandes revues françaises et américaines.

Alors j'ai continué d'enseigner les mathématiques, aux enfants, aux parents, aux chèvres et aux lapins.

Ce modèle abstrait d'atome, c'est moi : non pas ce gros atome dans lequel on considère une matrice aléatoire à valeurs complexes. Mais le modèle d'un humain empoisonné – presque abstrait dans sa perfection historique : un jeune homme qui n'avait rien demandé ; et à qui on a tout donné. Tout ça parce que j'ai trébuché sur les Champs-Elysées, en uniforme et un poignard au côté ? Ou parce que ma conjecture devait s'accomplir ?

Dostoïevski a tort. C'est la pureté qui sauvera le monde.

Parfois, il me semble qu'une main de feu se pose sur mon cœur. Bien à plat. Je tressaille. Je frotte doucement mon sein gauche. Je respire mal. Je sais qu'il ne faut pas regarder. C'est ce que me conseille doucement le médecin : porter son regard ailleurs.

Pourtant, j'ouvre ma chemise. Que la main du capitaine offerte il y a tant d'années tombe avec son feu, ne se colle plus à moi. Pourtant je la sens, pauvre et doux décalque – invisible et qui ne me lâche pas.

J'ai finalement écrit au Secrétariat général de la défense nationale. Après deux mois, j'ai reçu cette magnifique réponse : « Si votre dossier médical est archivé chez nous, il est alors classifié *très secret défense* et ne peut être consulté que par des personnes habilitées… » – conformément à l'instruction générale interministérielle (IGI) n° 1300, mise à jour tous les trois ou quatre ans. C'est moi qui précise. Or je ne suis pas habilité et ne peux l'être. Je suis l'homme de l'essai.

L'expérience

Il paraît que de nouvelles lois sont faites. Décrets, circulaires, mensonges : à ceux qui les réclament, les dossiers médicaux sont adressés presque vides. Ou tronqués. Peu importe.

Ces minutes dans le désert, je les ai chassées, malgré les insomnies, les migraines, les tremblements, les maux de ventre. J'ai caché les plaques brunes sur mes jambes. J'ai teint mes cheveux. J'ai oublié l'odeur de mon sperme.

Le capitaine avait raison. Nous avons traversé, et revenir est difficile. Comment dire à ma femme que la nuit, je ferme les yeux et qu'après cinquante ans, la pauvre chèvre brûlée me fixe sans un mot ? Que son cri couvre les miens, et parfois les siens ?

L'expérience

Ce que j'apprends au fil des années me stupéfie. Les caméras ultrasensibles filmaient l'explosion au ralenti, à un kilomètre, protégées par dix centimètres de verre blindé. Dix centimètres. Et les équipes militaires nous ont surveillés depuis le blockhaus, gigantesque et enfoui à plusieurs dizaines de mètres sous le sable et le ciment.

Je colle dans mon cahier des photographies du bunker, avec de belles légendes. Je pense au mur de l'Atlantique : même ouvrage immense ; même océan insondable ; même attente face à l'ennemi.

Bien sûr : l'ennemi, ce n'était pas la bombe, qui est un soleil. L'ennemi, c'était nous. C'était moi. Les cobayes, les survivants. Peut-être même les humains. Nous étions relégués ; enfermés ; autorisés à partager nos peaux, nos globules. A vingt et un ans, je suis devenu un résultat.

Alors j'ai fui la fiction. La fiction, c'est l'impossible.

L'expérience

Devant le sas, j'ai tiré une fusée éclairante vers le ciel : pauvre essai rouge et joyeux. Nous sommes restés debout, la tête baissée. Après plusieurs minutes, le hublot d'acier s'est ouvert comme une mâchoire, et nous sommes rentrés enfin.

Le sas s'est refermé, et nous sommes tombés à genoux dans une pièce de ciment vide. J'ai cogné violemment à une nouvelle porte, une sirène s'est déclenchée, et elle a fini par s'ouvrir. Là : des humains en combinaisons kaki nous attendaient. Derrière eux, un homme en civil nous tenait en joue.

Maintenant j'embrasse ma femme et ma fille. Elles sont douces et joyeuses. Une main fraîche me caresse le front. Je voudrais la saisir, l'embrasser. Elles sont là, autour de l'enfant. Elles me sourient en pleurant. Le décompte a repris. Tout est lent, cette fois.

Les suites se confondent. Des mots passent, des conjectures irrésolues.

Soudain, une formule se fige, et les mots célèbres de Riemann : « Il est fort probable que toutes les racines soient réelles. Bien sûr, une démonstration rigoureuse en serait souhaitable ; pour le moment, après quelques vagues tentatives restées vaines, j'ai provisoirement mis de côté la recherche d'une preuve, car elle semble inutile pour l'objectif suivant de mes investigations. »

La preuve, c'est moi. Elle n'ira plus très loin. Je voudrais dire encore que je suis fier, je voudrais crier vive la France. Or je ne peux plus. Ma langue est paralysée. Je respire encore, mais pour combien de temps ? Bientôt je serai sifflement, poussière, vent de sable, lumière transparente dans un corps qui n'est plus.

L'expérience

Un homme qui a un secret : il s'étoffe.

Souvent je rêve de revoir cet instant. Comme une jouissance impossible à connaître. Je rêve de retrouver les odeurs, les sons, le goût de Reggane. Mais à qui oserais-je l'expliquer ?

Ce matin, j'ai décidé de fermer ce cahier. Il faut se détacher. J'ai compris qu'au dernier instant, j'aurai cette impression absurde : avoir résolu ma conjecture. Je n'aurai plus de doutes. Je serai sans formules et sans hypothèse. Et même : sans joie. A cette pensée stupide, j'ai souri. Je ne suis pas un mathématicien, mais un professeur. Tout juste un soldat brûlé trop tôt, et qui s'est passé de preuves. Quoi de plus puissant qu'une traversée ? Un petit garçon qui joue avec son couteau et sourit dans le soleil.

Ma petite fiancée le savait : l'oubli est diabolique ; le souvenir est diabolique. Il faudrait ne pas aimer, disait-elle. Et ne pas avoir vécu. Alors ceux qui ont peur, qu'ils s'écartent… Et ceux qui ne veulent pas voir, qu'ils ouvrent les yeux : car ce que je leur donne est inoubliable. Autant s'y jeter, et vivre, et se dire que désormais nous savons. Nous pouvions vivre sans, et nous pouvons vivre avec.

Je note cette expression d'un philosophe : le passage à rien. Je ne suis pas sûr de sa signification. Peu importe, ces mots sont pour moi. Il n'y avait pas rien, dans et après ce passage. Il y avait une puissance, une volonté, une fin qui ne peuvent être rien – puisque nous étions là, et je suis là, encore, un peu ; et nous avons été si fiers.

Ce que j'ai vu n'était pas la mort ; ni la fin de la vie ; ni même la perte d'un pauvre cobaye, les yeux ouverts, chèvre, homme, lapin. Mais qu'ai-je vu ? Etait-ce un passage ? Certainement pas un essai. Il n'y a pas d'essai nucléaire. Il n'y a pas d'essai d'extermination. Il y a l'extermination. Au premier mort, nous sommes tous morts. C'est une pensée presque insoutenable : si l'idée même de la bombe est en nous, alors l'extermination a commencé.

Ce qui a eu lieu ce jour d'avril n'a pas de nom. Peut-être ai-je simplement vu ce qui ne peut être vu : l'homme vidé par sa bombe. Ce qui a eu lieu fut innommable et vaste, peut-être faut-il l'appeler ainsi, alors, le passage à rien.

L'expérience

Ce cahier était sur mon bureau : il a disparu. Je n'écris pas « volé », ce serait si simple. Disons qu'il n'est plus là. Mon dossier « Montgomery-Dyson » n'a pas bougé, lui. Ça me fait donc un lecteur, un tout premier lecteur. Je sais qu'il croit à la littérature ; aux lettres et aux mots volés. Je sais qu'il est venu jusqu'à ma ruelle, jusqu'à ces pauvres pages, et qu'il les a cherchées.

Or il n'y a pas d'original : il y a un premier instant qui doit être répété. Et même : un premier instant qui ne peut plus ne pas être répété. Peut-être est-ce le premier effet de ce cahier ? Je tire donc une copie de mon secrétaire à cylindre et à clefs. Et les mêmes pages sont sottement là : une preuve pour ceux qui y croient. Une réplique. A ma mort, elles seront pour ma fille. Pour l'heure, la bombe a encore des choses à me glisser à l'oreille : rien de très secret ; mais secrètement ; car rien n'est plus réel que le rien.

J'ai décidé de marcher vers la forêt. Pour marcher, il faut simplement du courage. Je connais ces rues, je connais ces arbres, et je connais les chemins. Je sais comment traverser Clamart, Meudon, Chaville, les bois de l'Impératrice parfois enneigés jusqu'à Fausses-Reposes, en bord d'autoroute, où je me suis perdu à six ans, un dimanche soir. Je me souviens des torches des gendarmes et de leurs chiens hurlant après moi. Je me souviens qu'ils m'ont confisqué mon couteau.

C'est un long retour, et ce sera le seul.

Un instant, je m'arrête en haut de la rue Marguerite. Dans mon dos, la jeune forêt de châtaigniers ; puis la terrasse de l'Observatoire. Aux beaux jours, un pylône domine Paris : c'est notre exploit de civilisation. Il s'embrase la nuit, et certains étés. Comme les enfants, je le cadre avec mon pouce et mon index : je le saisis ; je ferme le poing mais… il est toujours là. Une pensée ne crée ni ne détruit. Alors la tour Eiffel est bien un jouet de lumière, et je reste un enfant.

Nous avons conquis la mort de haute lutte ; tout en conservant la vie. On dirait la parole d'un conseiller à son prince. Mais je ne suis pas Machiavel ou Baltasar Gracián. Et ma devise n'est pas celle de Louis XIV : seul soleil sur la terre – même si je crois avoir vu plus grand soleil qu'aucun humain.

Depuis ce jour dans le désert, je ne sais qu'une chose. Peu importe la vie des hommes, puisque la mort ne se combat pas. Cette mort, nous la tenons entre nos mains, et avec quelle excitation, quelle joie, quelle frayeur… Bientôt chaque peuple aura son coffre où il n'y a ni avoine, ni encens, mais une surprise de conte. Attention, un tel coffre ne s'ouvre ni ne se ferme. Il est l'homme en sa connaissance, la mort et le monde réunis.

Et croyez-moi : j'ai essayé ; la mort ne nous rendra rien.

*Ce texte n'engage que moi, fond, forme et poli-
tique, mais je dois remercier ici :*

*Cédric Villani, pour ses avis mathématiques, le
« théorème de Reggane » et ses « infidélités à la
nuit » ;*

*Patrick Modiano, qui connaît Paris, les secrets,
et le Pathé-Montparnasse au 3 de la rue d'Odessa ;*

Anne Simonin, pour ses conseils historiques ;

*Patrick Weil et Michelle Perrot, pour leurs
lectures exigeantes.*

Quelques sources

Charles Ailleret, *L'aventure atomique française, Comment naquit la force de frappe*, Editions Grasset, 1968.

Bruno Barrillot, *Les irradiés de la République, Les victimes des essais nucléaires français prennent la parole*, Editions Complexe, 2003.

Louis Bulidon, *Les irradiés de Béryl, L'essai nucléaire non contrôlé*, Editions Thadée, 2011.

Christine Chanton, *Les vétérans des essais nucléaires français au Sahara, 1960-1966*, Editions L'Harmattan, 2006.

Jean-Philippe Desbordes, *Les cobayes de l'apocalypse nucléaire, Contre-enquête inédite sur les victimes des essais nucléaires français*, Express Roularta Editions, 2011.

Les enquêtes de Vincent Jauvert, de Sophie des Déserts *(Le Nouvel Observateur)*, de Christophe Labbé et Olivia Recasens *(Le Point)*.

Vent de sable, le Sahara des essais nucléaires, film de Larbi Benchiha, 2010.
Le secret des irradiés, film de Sébastien Tézé, 2010.

Composition réalisée par Belle Page

Cet ouvrage a été imprimé
par la Nouvelle Imprimerie Laballery
pour le compte des éditions Grasset
en février 2015

PAPIER À BASE DE
FIBRES CERTIFIÉES

Grasset s'engage pour
l'environnement en réduisant
l'empreinte carbone de ses livres.
Celle de cet exemplaire est de :
335 g éq. CO $_2$
Rendez-vous sur
www.grasset-durable.fr

N° d'édition : 18758 – N° d'impression : 502031
Première édition, dépôt légal : janvier 2015
Nouveau tirage, dépôt légal : février 2015